vis pip

Anke de Vries
tekeningen van Camila Fialkowski

Zwijsen

saar
sim
saar
aap sim
vis pip

raam.
vaas.

vis pip.
aap sim.

aap sim.
vis pip.
saar.

sim
mes
aas?
aas, saar.

vis pip is ver.

saar!
aap sim.

mis, saar.
mis, mis, mis.

aas, mmm...

mis, vis pip.
mis, mis, mis.

vis pip is vis vaas.

vis pip is sip.

vis pip is vis sis.

aas, vis pip.
aas.
sss... sss... sss...
sim

vis sis.
aap sim.
saar.

aap sim is aas.
raar!

vis sis is vis pip.

Serie 1 • bij kern 1 van Veilig leren lezen

Na 12 dagen leesonderwijs:

1. rim sim raas
Frank Smulders en
Leo Timmers

2. raar is raar
Erik van Os &
Elle van Lieshout en
Hugo van Look

Na 14 dagen leesonderwijs:

3. sim!
Maria van Eeden en
Jan Jutte

4. vis is sip
Marjolein Krijger

Na 17 dagen leesonderwijs:

5. is sep er?
Gitte Spee

6. vis pip
Anke de Vries en
Camila Fialkowski

7. raar paar
Martine Letterie en
Rick de Haas

8. vaar maar
Stefan Boonen en
An Candaele